Edición original: **OQO Editora**

Alemaña 72 | 36162 PONTEVEDRA
Tfno. 986 109 270 | Fax 986 109 356
OQO@OQO.es | www.OQO.es

Diseño | Oqomania
Impresión | Tilgráfica

Primera edición | septiembre 2006
ISBN | 84-96573-68-0
DL | PO 493-2006

CORRE CORRE, CALABAZA

Eva Mejuto,
a partir de un cuento tradicional portugués

Ilustraciones de André Letria

OQO EDITORA

Érase una vez una viejecita
que vivía en una casa de la aldea.

Un día recibió una carta:
su nieta iba a casarse y quería invitarla a la boda.

La abuela se puso tan contenta
que se echó a andar enseguida
para no llegar tarde.

Al poco rato se encontró a un lobo, que le dijo:

– ¡Abuelita, te voy a comer!

– ¡No me comas, lobo,
que estoy muy flaquita! -dijo ella-.
Voy a la boda de mi nieta
y cuando vuelva estaré más gorda.

El lobo pensó
que la viejecita era todo huesos
y la dejó marchar:

– ¡Pues vete,
que aquí te espero!

Un poco más adelante, la abuela
se encontró a un oso, que le dijo:

– ¡Abuelita, te voy a comer!

**– ¡No me comas, oso,
que estoy muy flaquita!
Voy a la boda de mi nieta
y cuando vuelva estaré más gorda.**

El oso pensó
que la viejecita era todo pellejo
y la dejó marchar:

**– ¡Pues vete,
que aquí te espero!**

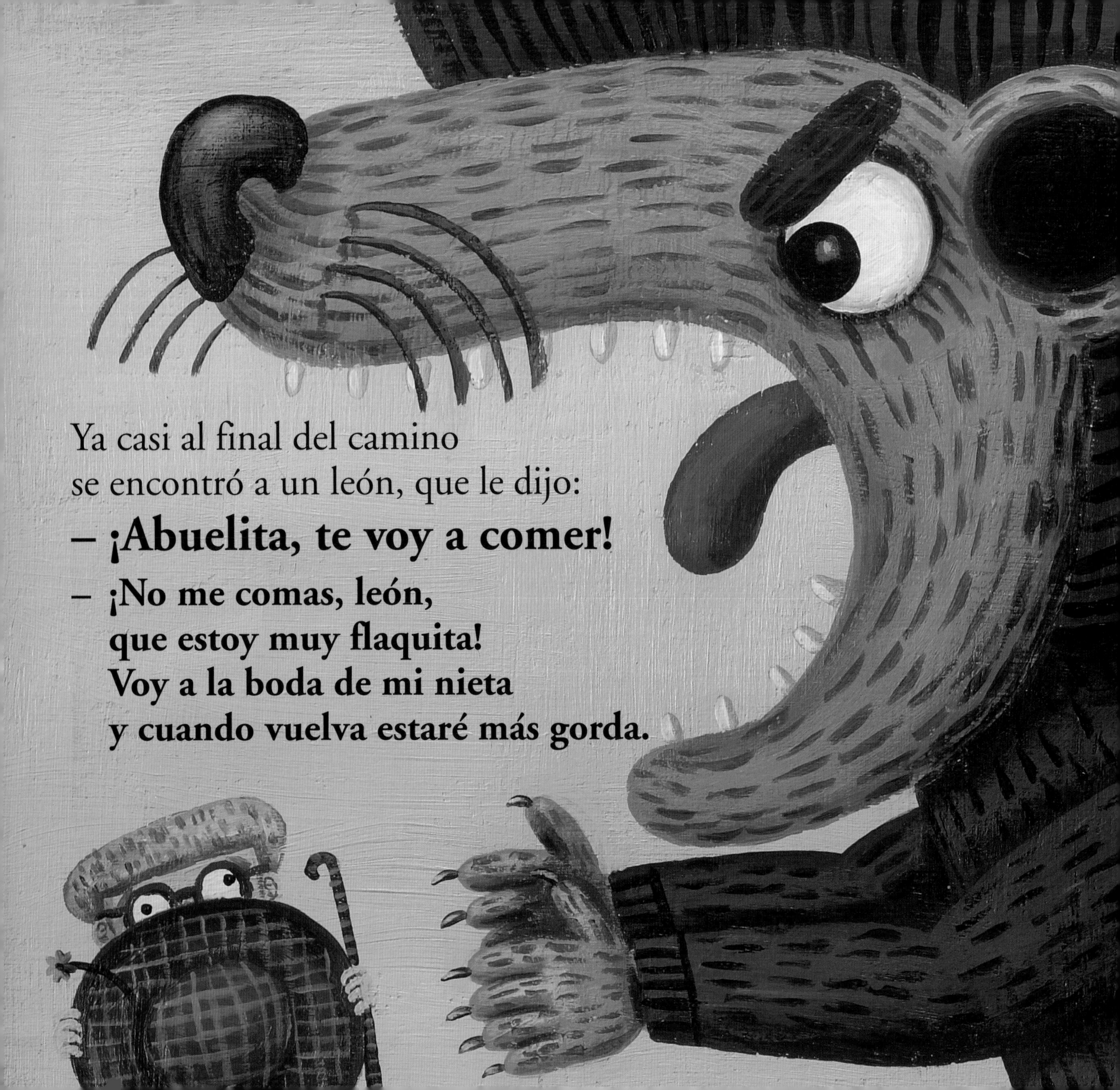

Ya casi al final del camino
se encontró a un león, que le dijo:

– ¡Abuelita, te voy a comer!

– ¡No me comas, león,
que estoy muy flaquita!
Voy a la boda de mi nieta
y cuando vuelva estaré más gorda.

El león pensó
que la viejecita era todo aire
y la dejó marchar:

**– ¡Pues vete,
que aquí te espero!**

La viejecita llegó a la casa de su nieta
y, asustada,
le contó lo que había pasado.

La nieta le dijo
que no se preocupara;
y, como era tarde,
se fueron a dormir.

Al día siguiente
celebraron la boda
con una gran fiesta.

Cuando llegó la hora de volver a casa,
la abuela se acordó de las tres fieras
que estaban esperando en el camino
y tuvo miedo.

Entonces la nieta se fue corriendo a la huerta,
cortó la calabaza más grande que encontró
y le abrió una puerta pequeña.

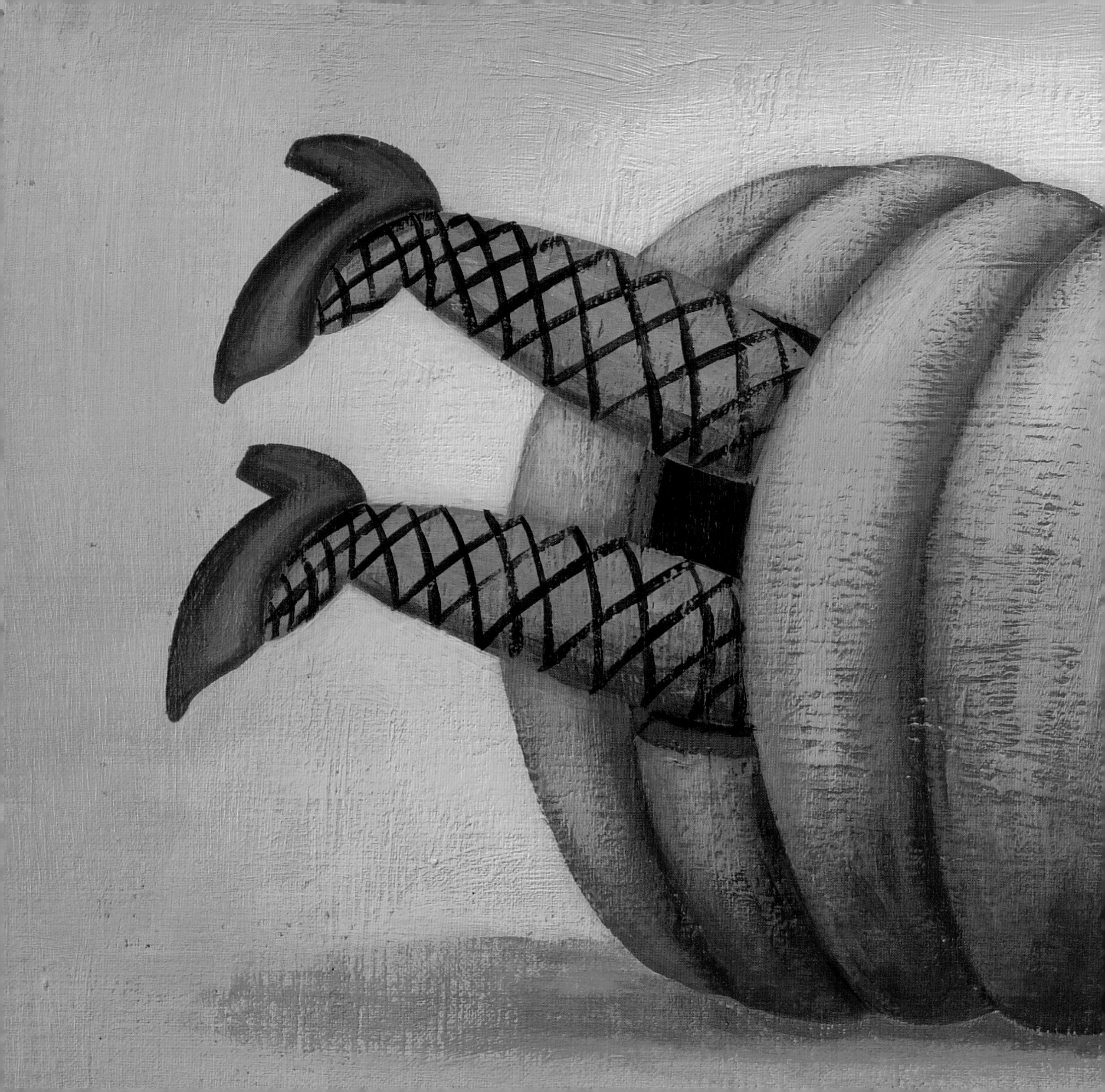

La viejecita se metió dentro de la calabaza
y la nieta la echó a rodar
por el camino.

Al cabo de un rato pasó por donde estaba el león, que preguntó:

– Calabaza bonita,
¿no habrás visto a una viejecita?

La abuela, desde dentro, respondió:

– No he visto vieja ni viejo,
ni viejita ni viejota.
¡Corre corre, calabaza;
corre más, calabazota!

El león se quedó pasmado
y la abuela siguió rodando.

Más adelante estaba el oso,
que preguntó:

– Calabaza bonita,
¿no habrás visto a una viejecita?

Desde dentro, la voz respondió:

– No he visto vieja ni viejo,
ni viejita ni viejota.
¡Corre corre, calabaza;
corre más, calabazota!

El oso se quedó asombrado
y la abuela siguió rodando.

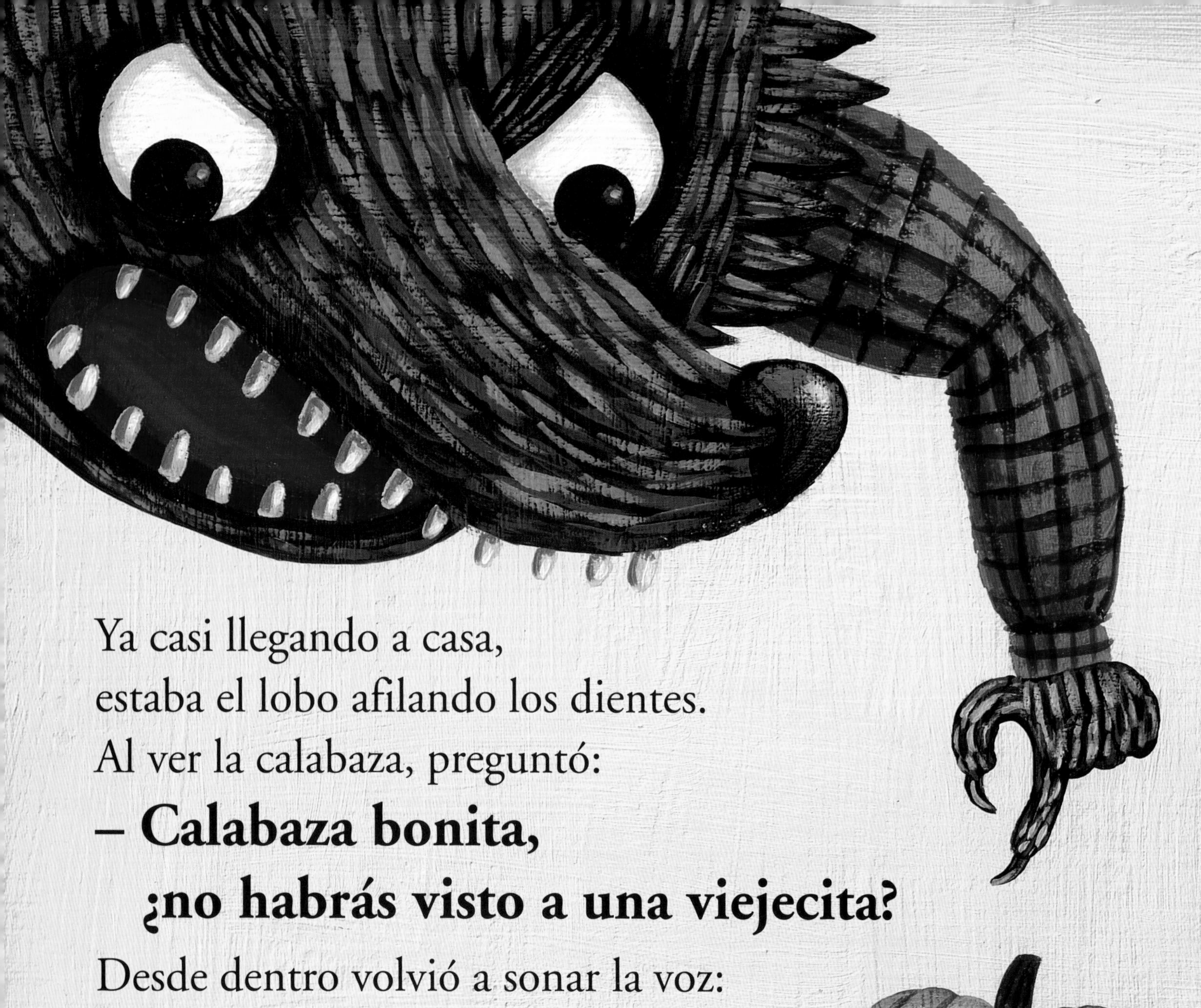

Ya casi llegando a casa,
estaba el lobo afilando los dientes.
Al ver la calabaza, preguntó:

– Calabaza bonita,
¿no habrás visto a una viejecita?

Desde dentro volvió a sonar la voz:

– No he visto vieja ni viejo,
ni viejita ni viejota.
¡Corre corre, calabaza;
corre más, calabazota!

El lobo se quedó espantado
y la abuela siguió rodando.

La viejecita llegó a casa
muy contenta por haber burlado
al lobo, al león y al oso.

Y las tres fieras,
sin nada que meter en sus bocazas,
se echaron a dormir en el camino
y soñaron con terribles calabazas.

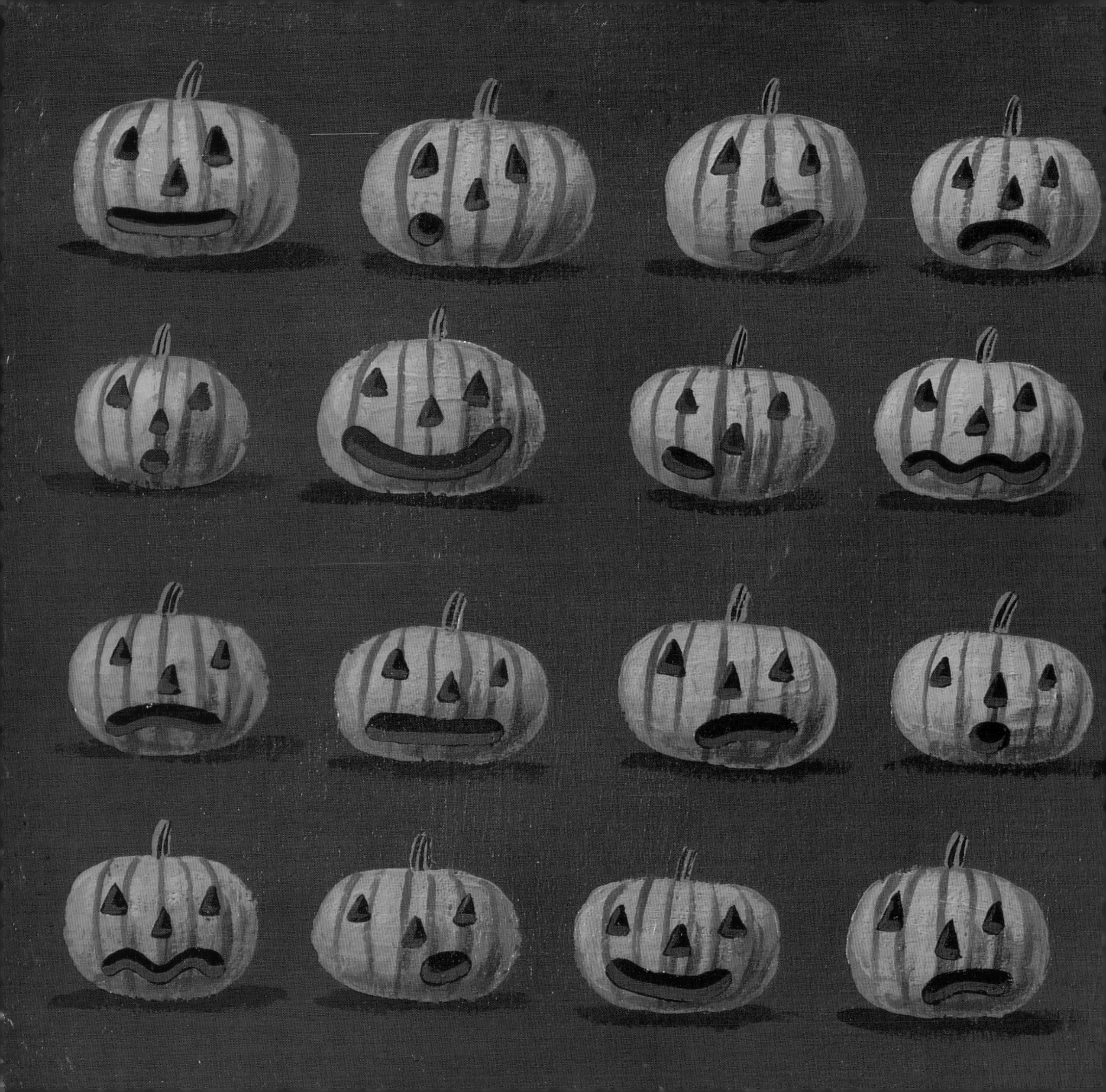